Find the right name

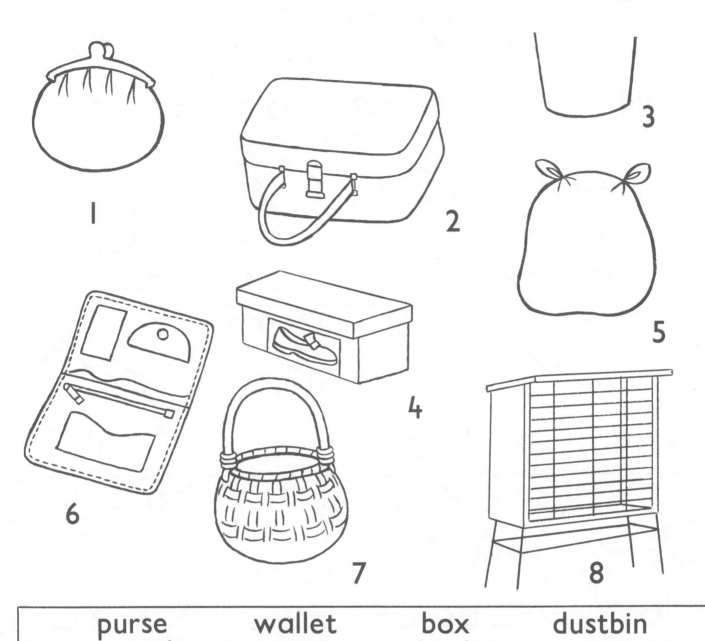

purse	wallet	box	dustbin
sack	cage	basket	case

1 _ _ _ _ _

2 _ _ _ _

3 _ _ _ _ _ _ _

4 _ _ _

5 _ _ _ _

6 _ _ _ _ _ _

7 _ _ _ _ _ _

8 _ _ _ _

Write the missing letters

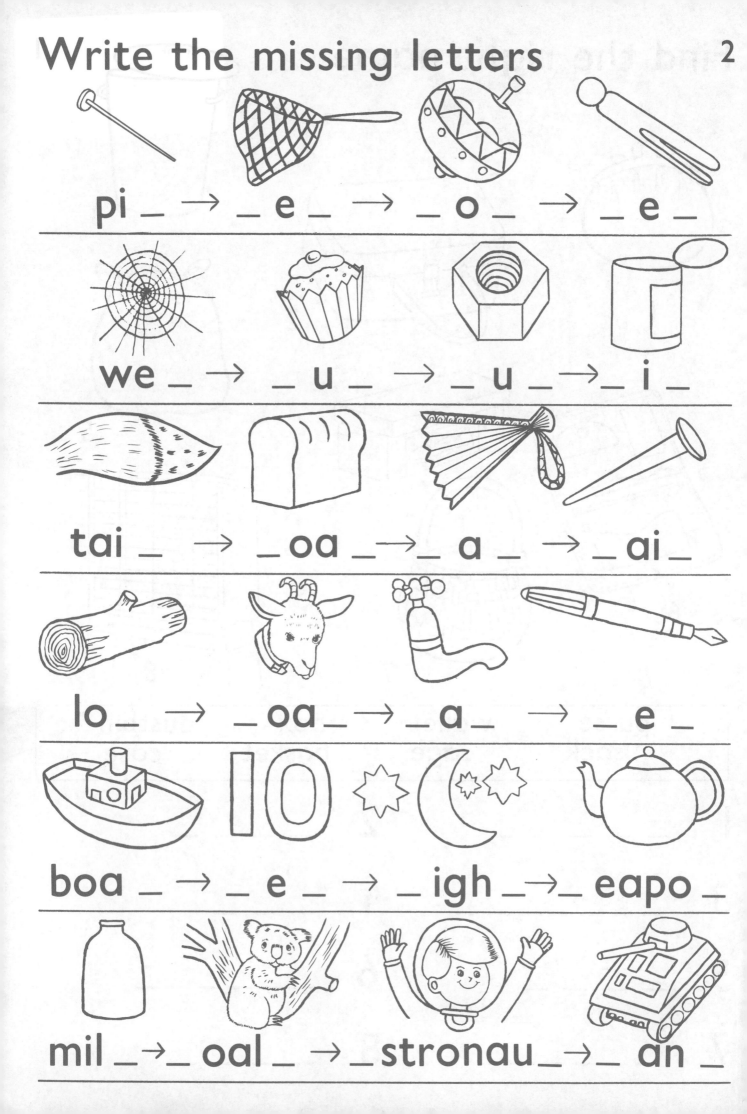

pi _ → _ e _ → _ o _ → _ e _

we _ → _ u _ → _ u _ → _ i _

tai _ → _ oa _ → _ a _ → _ ai _

lo _ → _ oa _ → _ a _ → _ e _

boa _ → _ e _ → _ igh _ → _ eapo _

mil _ → _ oal _ → _ stronau _ → _ an _

What is missing?
Draw and write.

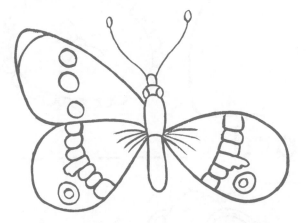

A _ _ _ _ is missing.

The _ _ _ _ is missing.

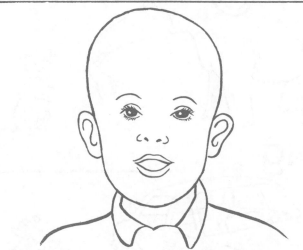

The _ _ _ _ is missing.

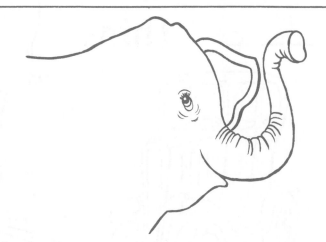

An _ _ _ is missing.

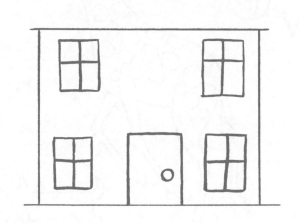

The _ _ _ _ is missing.

The _ _ _ _ _ _ is missing.

nose   wing   hair   ear   saddle   roof

Opposites
Find the opposite.

hard

_ _ _ _

_ _ _   thin

big

_ _ _ _ _ _

new

_ _ _

up _ _ _ _ _

_ _ _ _ _   short

| soft | old | down | fat | tall | little |

What do we wear?

belt	sandals	socks	cardigan
jumper	tights	hat	jeans	scarf
boots	duffle coat	anorak	dress

I am wearing a _____ and a _____.

I never wear _____.

a e i o u

Write and colour.

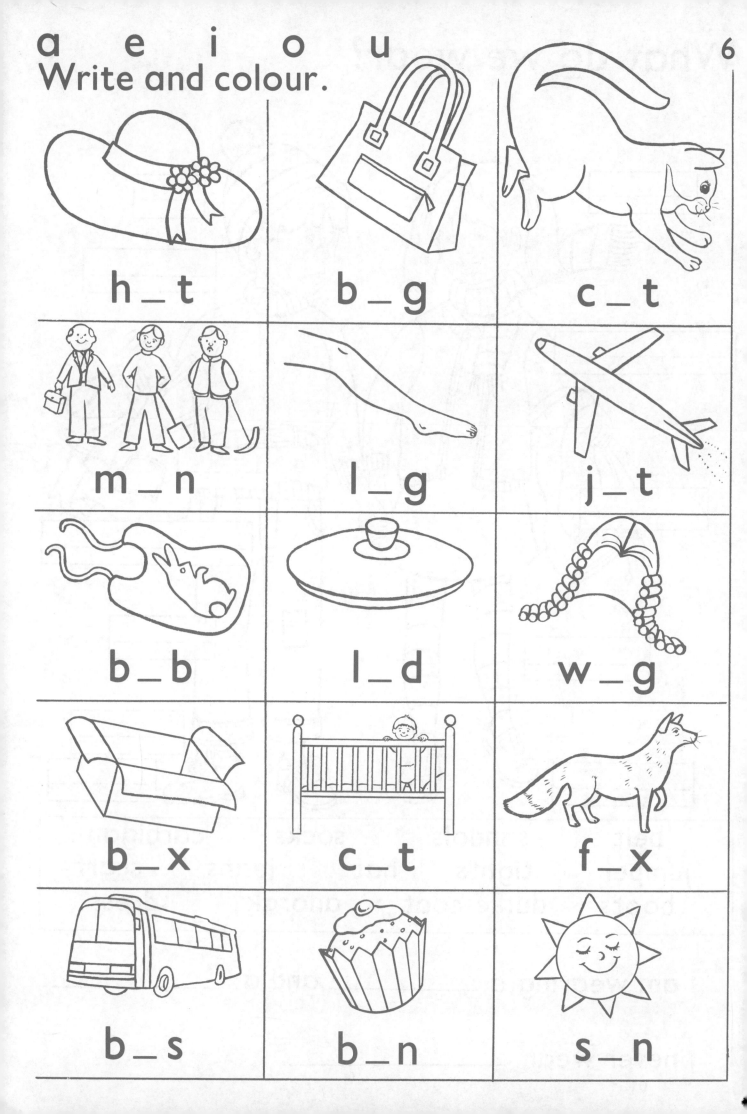

h _ t

b _ g

c _ t

m _ n

l _ g

j _ t

b _ b

l _ d

w _ g

b _ x

c _ t

f _ x

b _ s

b _ n

s _ n

ba**g** → bag 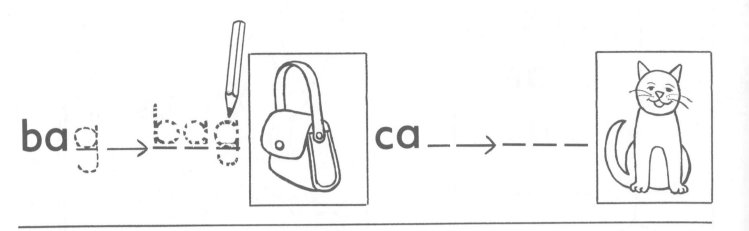 ca → _ _ _ _

be → _ _ _ _ he → _ _ _ _

pi → _ _ _ _ ti → _ _ _ _

lo → _ _ _ _ fo → _ _ _ _

bu → _ _ _ _ su → _ _ _ _

Find the first letter

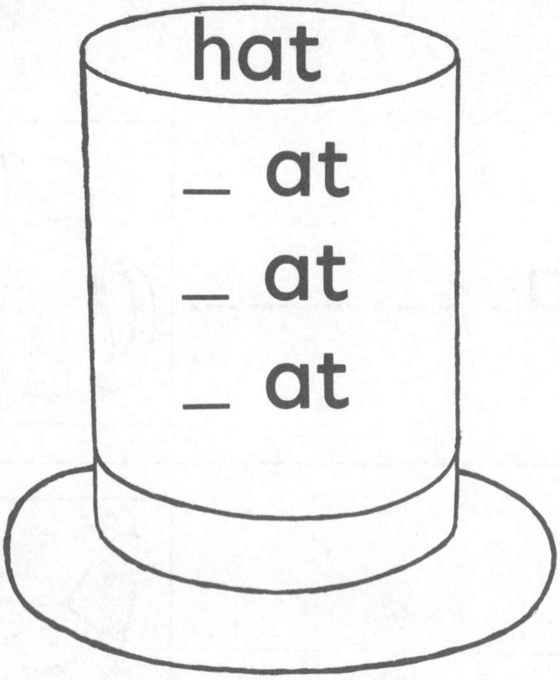

hat

_ at

_ at

_ at

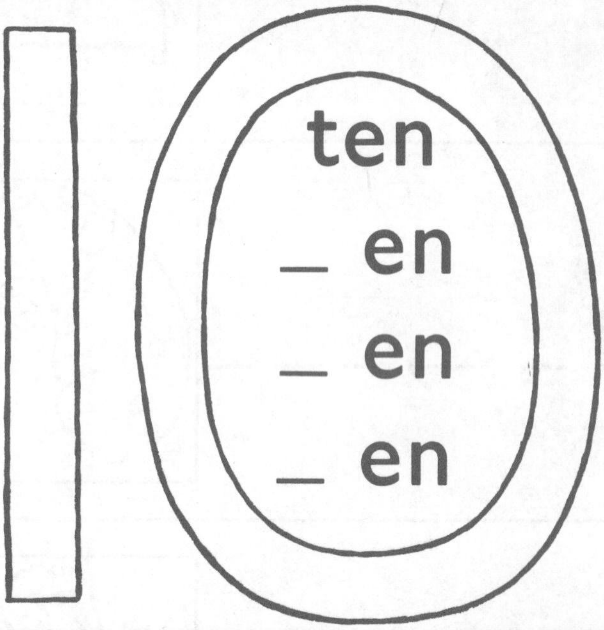

ten

_ en

_ en

_ en

jug

_ ug

_ ug

_ ug

In the street

The postman puts letters in his ___.

The lady is pushing a ____.

The man has a lot of _____.

He is taking it to a ____.

Two boys are waiting for the ___.

Hard and soft

watch

hat

as soft as a kitten

h _ _ _ _ _ _ _ _ _ _ _ _

h _ _   m _ _ _ _ _

s _ _ _ _   l _ _ _ _

s _ _ _

button

teeth

badge

nail   handkerchief

as hard as a rock

buckle

w _ _ _ _

b _ _ _ _ _   b _ _ _ _

lips

t _ _ _ _ _

b _ _ _ _ _ _

scarf   n _ _ _ _

mitten

sock

Fruit

Write the name of the fruit.
Colour the picture.

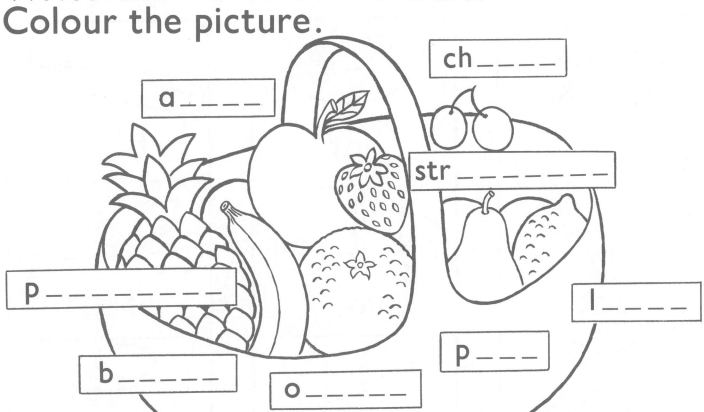

ch _ _ _ _ _

a _ _ _ _ _

str _ _ _ _ _ _ _ _

p _ _ _ _ _ _ _ _ _

l _ _ _ _

p _ _ _ _

b _ _ _ _ _ _

o _ _ _ _ _ _

| apple | pear | lemon | strawberry |
| cherry | banana | orange | pineapple |

Put the fruit in the correct basket.

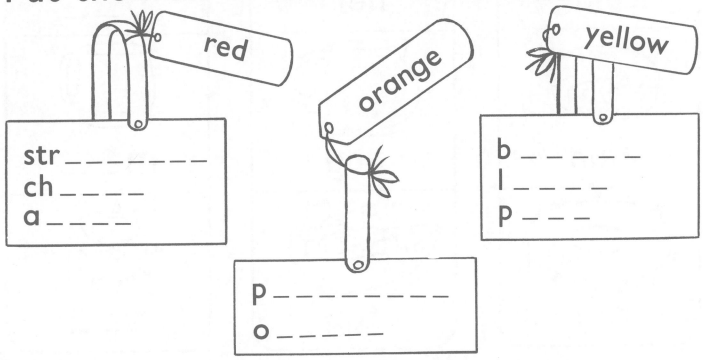

red

str _ _ _ _ _ _ _
ch _ _ _ _ _
a _ _ _ _ _

orange

p _ _ _ _ _ _ _ _
o _ _ _ _ _ _

yellow

b _ _ _ _ _ _
l _ _ _ _
p _ _ _

Rhyming words

Join the words that rhyme.

man

hat

b _ _

cat

van

f a n

jet

pin

t _ _

bin

net

P _ _

bun

jug

m _ _

rug

tug

s _ _

Rhyming words
Find the rhymes.

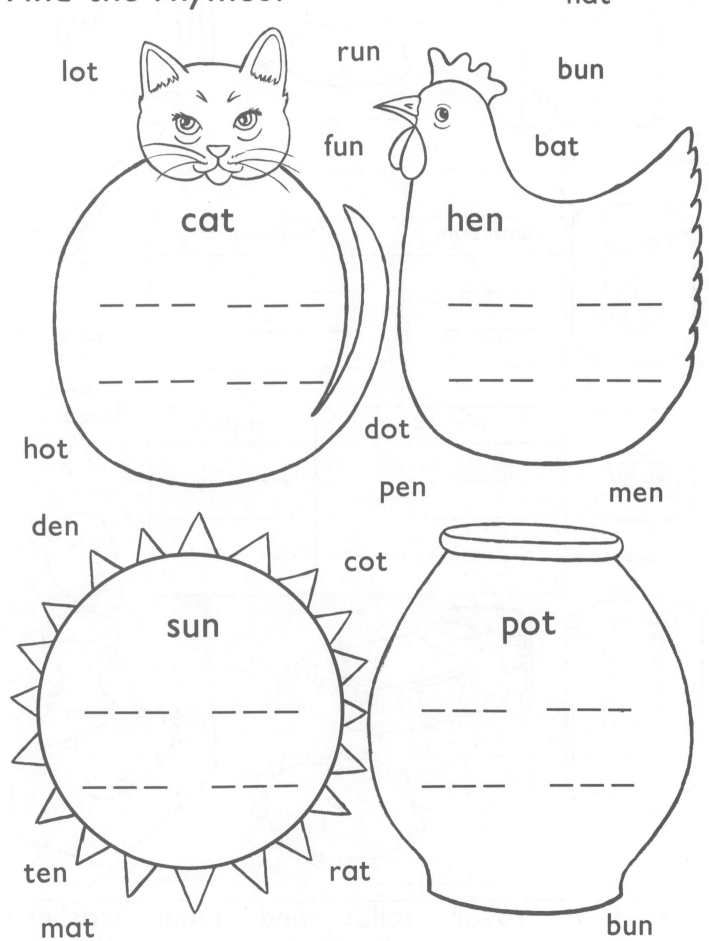

hat

lot

run

bun

fun

bat

cat

hen

– – – – – – –

– – – – – – –

– – – – – – –

– – – – – – –

hot

dot

pen

men

den

cot

sun

pot

– – – – – –

– – – – – –

– – – – – –

– – – – – –

ten

rat

mat

bun

Which room?

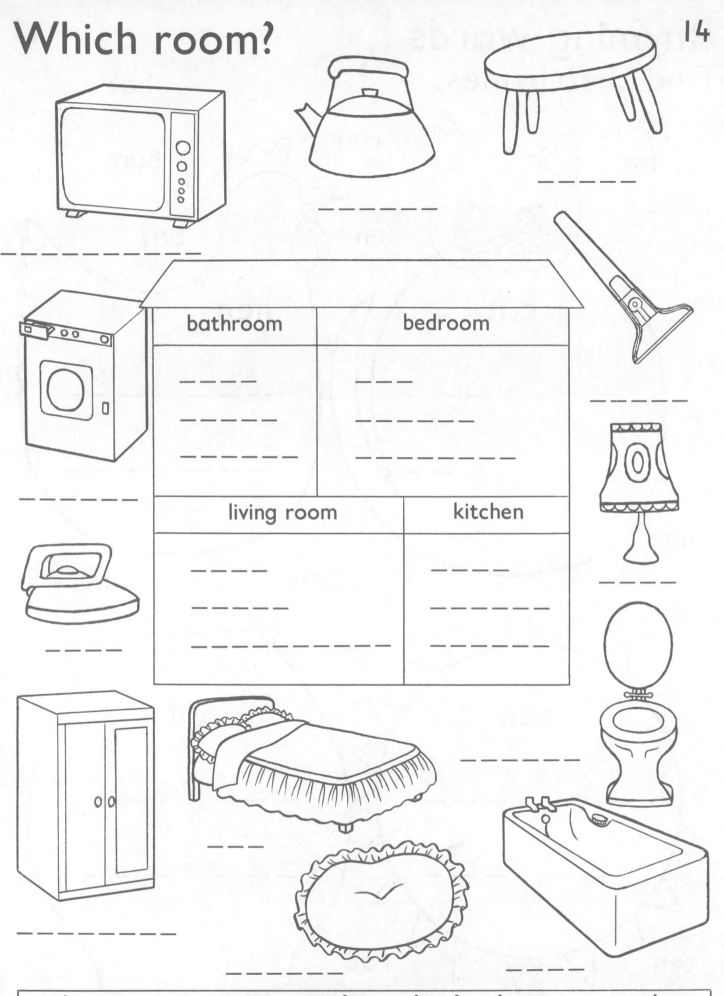

bathroom	bedroom
_ _ _ _	_ _ _
_ _ _ _ _	_ _ _ _
_ _ _ _ _	_ _ _ _ _

living room	kitchen
_ _ _ _	_ _ _ _
_ _ _ _ _	_ _ _ _ _
_ _ _ _ _ _	_ _ _ _ _

television   razor   toilet   bed   lamp   washer
pillow   table   bath   iron   kettle   wardrobe

Finish the sentences

Dad is sitting on the _ _ _ _ _.

He is fixing the _ _ _ _ _ _.

The cat is under the _ _ _ _ _ _ _.

Mum is cleaning the _ _ _ _ _ _ _ _.

There is a boy at the _ _ _ _ _.

The car is in the _ _ _ _ _ _.

Vegetables
Colour the picture.

_____   _____   _____

_____   ____   _____

_____   _____

peas	celery	cauliflower	radishes
lettuce	carrots	cucumber	beans

Write the words.

Vegetables in a salad.

Vegetables we cook.

c _____

r _____

l _____

c _____

c _____

c _____

b _____

p ____

Who does what?

postman	milkman	fireman	paper boy
window cleaner	driver	lollipop lady	butcher

f _ _ _ _ _ _

p _ _ _ _ _ _ _ _

b _ _ _ _ _ _

m _ _ _ _ _ _

p _ _ _ _ _ _

w _ _ _ _ _ _ _ _ _

d _ _ _ _ _ _

l _ _ _ _ _ _ _ _ _ _

letters	windows	bus	cars	fires	papers	meat

The fireman puts out   _ _ _ _ _ .

The window cleaner cleans   _ _ _ _ _ _ _ .

The lollipop lady stops the   _ _ _ _ .

The bus driver drives the   _ _ _ .

The paper boy delivers   _ _ _ _ _ _ .

The butcher sells   _ _ _ _ .

The postman delivers   _ _ _ _ _ _ _ .

Pairs

bat

cup

sun

hat

boy

lock

| girl | saucer | coat | key | ball | moon |

bat and _ _ _ _   cup and _ _ _ _ _ _

boy and _ _ _ _   sun and _ _ _ _

hat and _ _ _ _   lock and _ _ _

Numbers in words

1 one
2 two
3 three
4 four
5 five

6 six
7 seven
8 eight
9 nine
10 ten

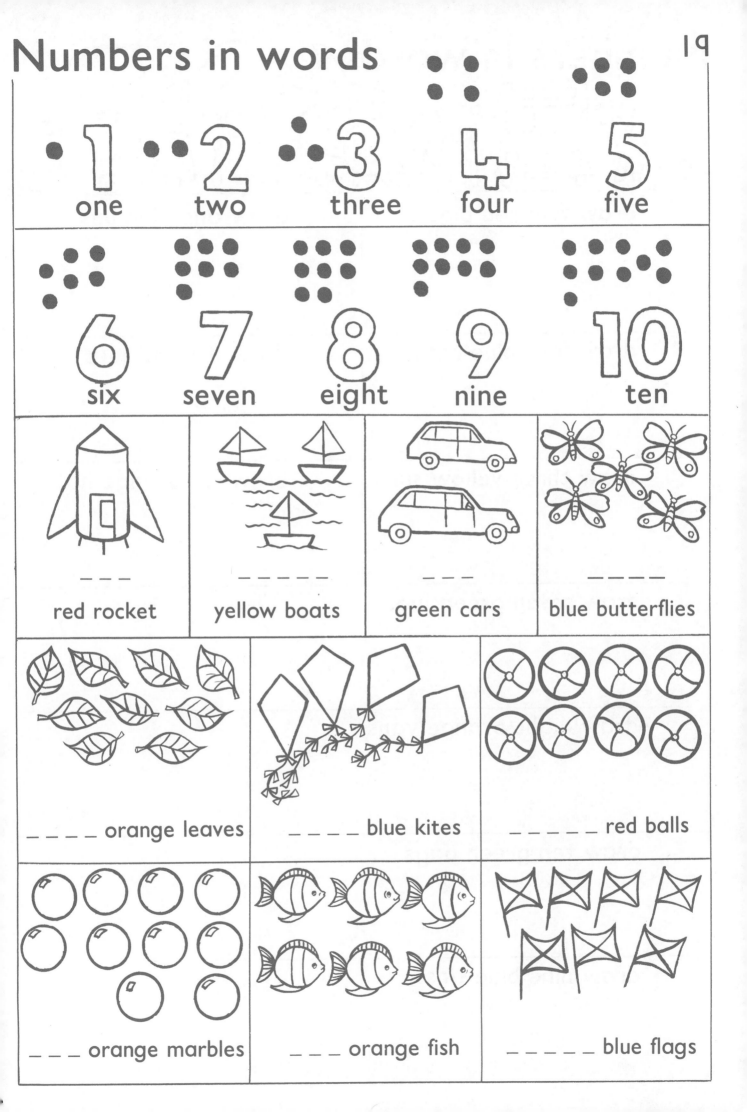

_ _ _ red rocket

_ _ _ _ _ _ yellow boats

_ _ _ green cars

_ _ _ _ blue butterflies

_ _ _ _ orange leaves

_ _ _ _ blue kites

_ _ _ _ _ _ red balls

_ _ _ orange marbles

_ _ _ orange fish

_ _ _ _ _ _ blue flags

Numbers in words

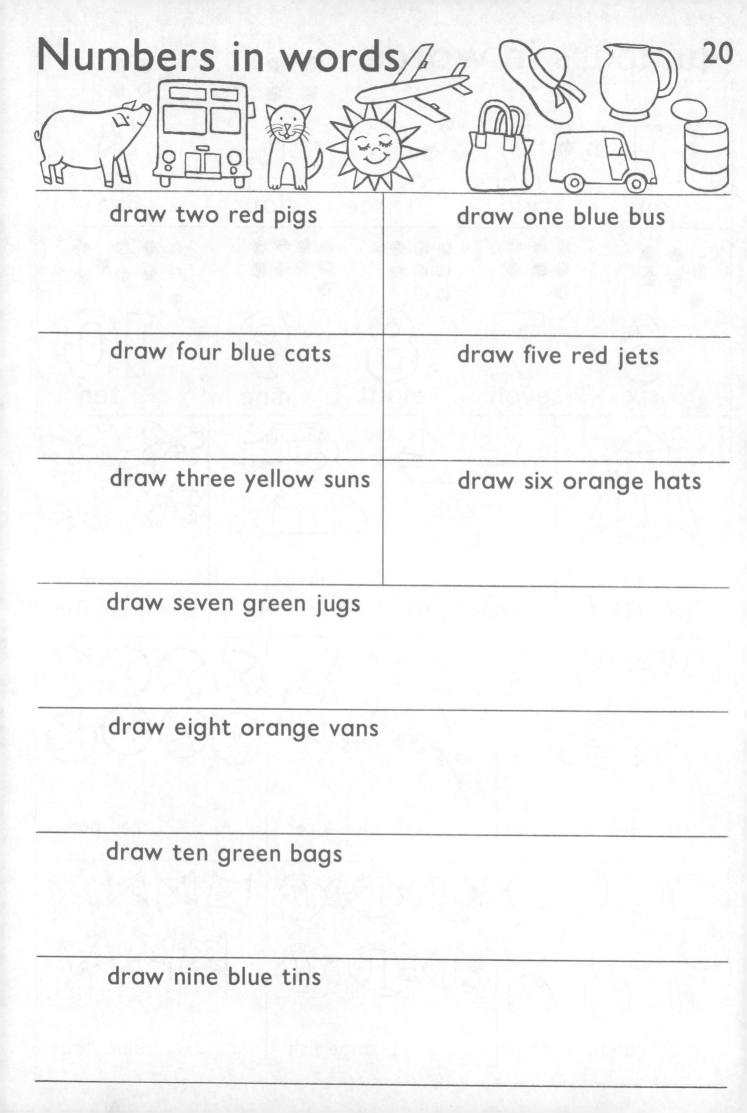

draw two red pigs

draw one blue bus

draw four blue cats

draw five red jets

draw three yellow suns

draw six orange hats

draw seven green jugs

draw eight orange vans

draw ten green bags

draw nine blue tins

Sorting sounds

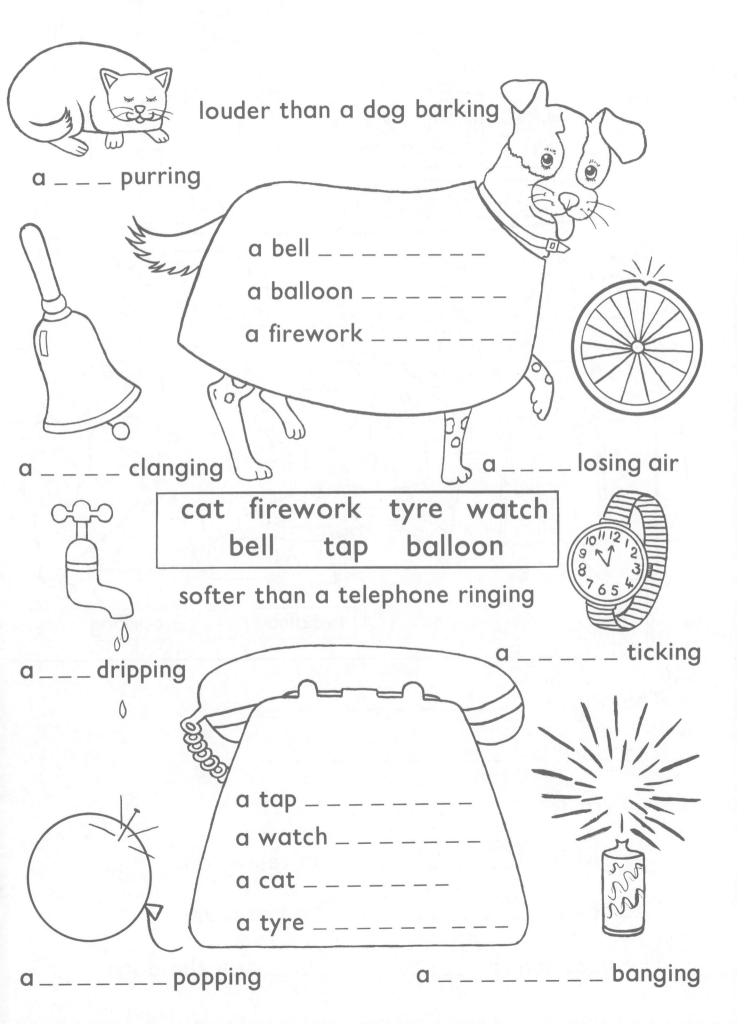

louder than a dog barking

a _ _ _ purring

a bell _ _ _ _ _ _ _ _ _

a balloon _ _ _ _ _ _ _ _

a firework _ _ _ _ _ _ _

a _ _ _ _ clanging

a _ _ _ _ losing air

cat   firework   tyre   watch
bell   tap   balloon

softer than a telephone ringing

a _ _ _ _ _ _ ticking

a _ _ _ dripping

a tap _ _ _ _ _ _ _ _

a watch _ _ _ _ _ _ _

a cat _ _ _ _ _ _ _

a tyre _ _ _ _ _ _ _ _

a _ _ _ _ _ _ _ popping

a _ _ _ _ _ _ _ _ _ banging

In the living room

ticking

knocking

purring

singing

banging   barking

The dog is   _ _ _ _ _ _ _ .

The clock is   _ _ _ _ _ _ _ .

The cat is   _ _ _ _ _ _ _ .

The girl is   _ _ _ _ _ _ _ on television.

The boy is   _ _ _ _ _ _ _ on the drum.

The postman is   _ _ _ _ _ _ _ _ on the door.

What are they doing?

| crying falling running throwing sleeping flying eating |

1 The bear is _____.

2 The giraffe is _____.

3 The lion is _____.

4 The crocodile is _____.

5 A tiger is _____.

6 A pig is _____.

7 The hen is _____.

What are they like?

At the circus I saw . . . .

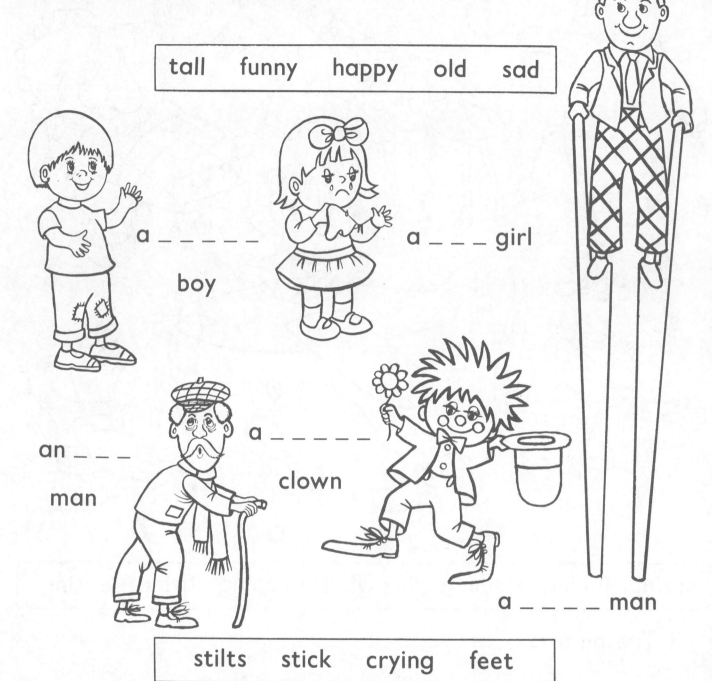

| tall | funny | happy | old | sad |

a _ _ _ _ _ _
boy

a _ _ _ girl

an _ _ _
man

a _ _ _ _ _ _
clown

a _ _ _ _ _ man

| stilts | stick | crying | feet |

The _ _ _ _ man was on _ _ _ _ _ _ _ .

The _ _ _ girl was _ _ _ _ _ _ _ .

The _ _ _ man had a _ _ _ _ _ .

The _ _ _ _ _ clown had big _ _ _ _ .

Sorting animals

Draw a red ring round pets.

Draw a blue ring round zoo animals.

_ _ _   _ _ _ _   _ _ _ _ _ _ _   _ _ _ _ _ _ _ _

_ _ _ _ _ _   _ _ _ _ _   _ _ _   _ _ _ _ _ _ _ _ _

| cat | camel | kangaroo | mouse |
| elephant | rabbit | dog | lion |

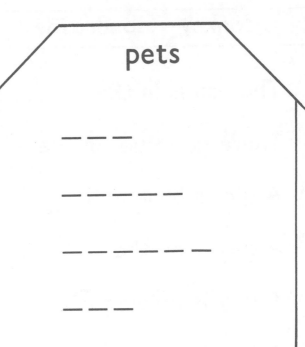

zoo animals

_ _ _ _ _

_ _ _ _ _ _ _ _

_ _ _ _ _

_ _ _ _ _ _ _ _

pets

_ _ _

_ _ _ _ _

_ _ _ _ _

_ _ _

I have a _____ .

I would like a _____ .

Find the word.

| donkey | sandcastle | net | boat | bucket | water |

The fish is in the _ _ _ .

There is a flag on the _ _ _ _ _ .

A girl is building a _ _ _ _ _ _ _ _ _ _ .

A girl is on the _ _ _ _ _ _ .

A boy is holding a _ _ _ _ .

A boy is in the _ _ _ _ _ _ .

Numbers in words
Colour the picture.

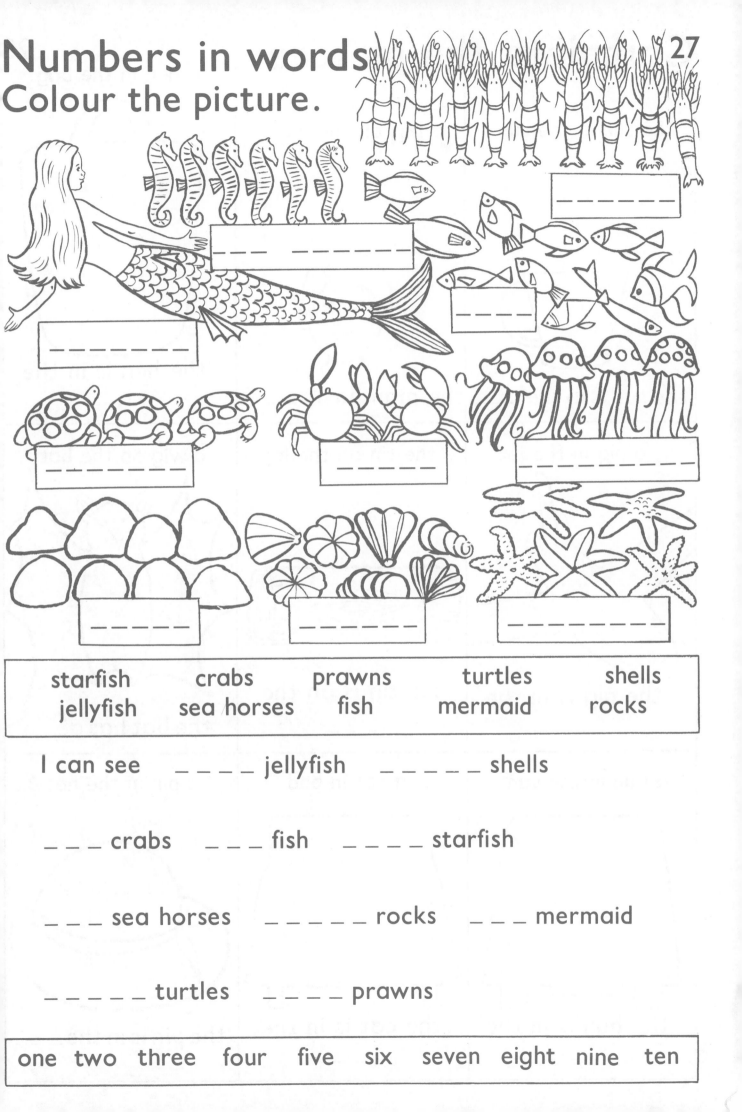

27

| starfish | crabs | prawns | turtles | shells |
| jellyfish | sea horses | fish | mermaid | rocks |

I can see _ _ _ _ jellyfish   _ _ _ _ _ shells

_ _ _ crabs   _ _ _ fish   _ _ _ _ starfish

_ _ _ sea horses   _ _ _ _ _ rocks   _ _ _ mermaid

_ _ _ _ _ turtles   _ _ _ _ prawns

one two three four five six seven eight nine ten

Complete the picture

the sun in the cup

the sun is in the _ _ _

a hat on the man

the man has a _ _ _

a hen in the bag

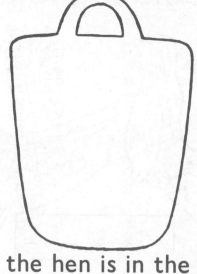

the hen is in the
_ _ _

a pig in the jet

the pig is in the
_ _ _

the tin on the log

the tin is on the
_ _ _

a wig on the bat

the bat has a _ _ _

a **bun** in the van

the **bun** is in the
_ _ _

a cat in bed

the cat is in the
_ _ _

a pin in the hat

the pin is in the _ _ _

In the playground

| see-saw | rope | tyre | roundabout | tunnel | football |

One boy is coming out of a _ _ _ _ _ _ _.

Four children are on the _ _ _ _ _ _ _ _ _ _.

The dog is jumping up at the _ _ _ _ _.

Up and down goes the _ _ _ _ _ _.

Two boys are playing _ _ _ _ _ _ _ _.

Mum is holding the _ _ _ _.

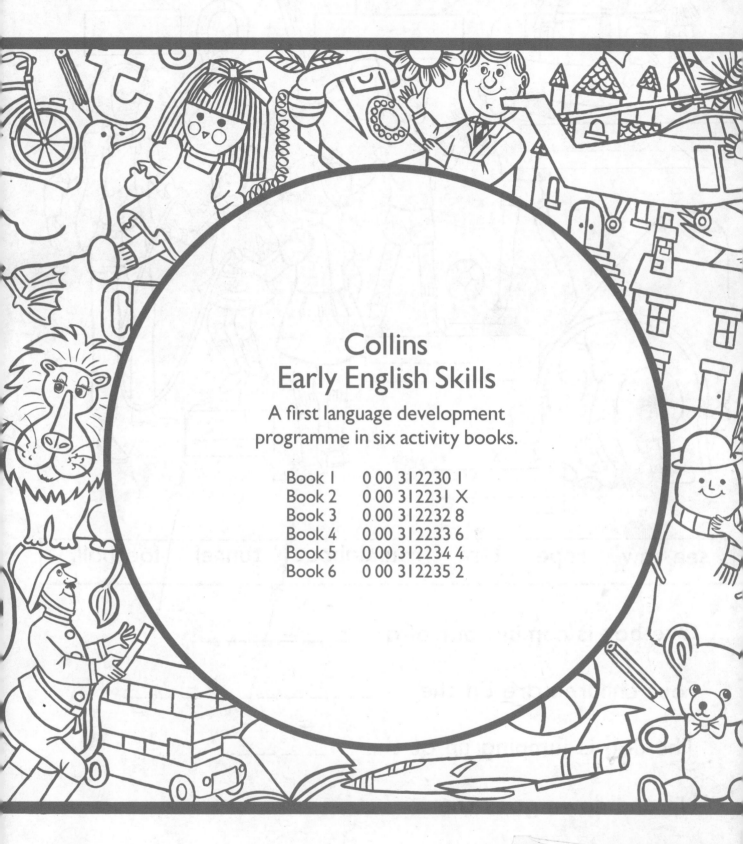

Collins
Early English Skills

A first language development
programme in six activity books.

Book 1	0 00 312230 1
Book 2	0 00 312231 X
Book 3	0 00 312232 8
Book 4	0 00 312233 6
Book 5	0 00 312234 4
Book 6	0 00 312235 2

Collins Educational

An imprint of HarperCollinsPublishers

£3·50   ISBN 0-00-312231-X

9 780003 122312 >